BUR

Biblioteca Universale Rizzoli

Alessandro Baricco in BUR

Castelli di rabbia

City

Oceano mare

Senza sangue

Seta

Alessandro Baricco

Senza sangue

BUR

SCRITTORI CONTEMPORANEI

ISBN 88-17-00178-3

Prima edizione BUR Scrittori Contemporanei: maggio 2004
Quinta edizione BUR Scrittori Contemporanei: marzo 2005

NOTA. I fatti e i personaggi raccontati in questa storia sono immaginari e non fanno riferimento ad alcuna realtà particolare. La scelta frequente di nomi ispanici è un fatto puramente musicale e non deve suggerire una collocazione temporale o geografica della vicenda.

Senza sangue

uno

Nella campagna, la vecchia fattoria di Mato Rujo dimorava cieca, scolpita in nero contro la luce della sera. L'unica macchia nel profilo svuotato della pianura.

I quattro uomini arrivarono su una vecchia Mercedes. La strada era scavata e secca – strada povera di campagna. Dalla fattoria, Manuel Roca li vide.

Si avvicinò alla finestra. Prima vide la colonna di polvere alzarsi sul profilo del mais. Poi sentì il rumore del motore. Nessuno aveva più macchine, da quelle parti. Manuel Roca lo sapeva. Vide la Mercedes spuntare lontano e poi scomparire dietro a un filare di querce. Poi non guardò più.

Tornò verso la tavola e posò la mano sulla testa della figlia. Alzati, le disse. Prese una chiave dalla tasca, la appoggiò sul tavolo e fece un cenno col capo al figlio. Subito, disse il figlio. Erano bambini, due bambini.

Al bivio del torrente, la vecchia Mercedes evitò la strada per la fattoria e proseguì verso Alvarez, fingendo di allontanarsi. I quattro uomini viaggiavano in silenzio. Quello alla guida aveva una specie di divisa addosso. L'altro uomo seduto davanti aveva un vestito color panna. Stirato. Fumava una sigaretta francese. Rallenta, disse.

Manuel Roca sentì il rumore allontanarsi verso Alvarez. Chi credono di fregare?, pensò. Vide il figlio rientrare nella stanza con un fucile in mano e un altro sotto il braccio. Posali lì, disse. Poi si voltò verso la figlia. Vieni, Nina. Non aver paura. Vieni qui.

L'uomo elegante spense la sigaretta sul cruscotto della Mercedes poi disse a quello che guidava di fermarsi. Va bene qui, disse. E fa' tacere 'sto inferno. Si sentì il rumore del freno a mano, come una catena lasciata cadere in un pozzo. Poi più niente. La campagna sembrava inghiottita da una quiete incurabile.

Era meglio andare dritti da lui, disse uno dei due seduti dietro. Adesso avrà il tempo di scappare, disse. Aveva una pistola in mano. Era solo un ragazzo. Lo chiamavano Tito.

Non scapperà, disse l'uomo elegante. Ne ha piene le palle di scappare. Andiamo.

Manuel Roca spostò le ceste piene di frutta, si chinò, sollevò il coperchio nascosto di una botola e diede un'occhiata dentro. Era poco più che un grande buco scavato nella terra. Sembrava la tana di un animale.

– Ascoltami, Nina. Adesso arriverà della gente, e non voglio che ti veda. Devi nasconderti qui dentro, la cosa migliore è che ti nascondi qui dentro e aspetti che se ne vadano. Mi hai capito?

– Sì.

– Devi solo startene tranquilla qui sotto.

– ...

– Qualsiasi cosa succeda, non devi uscire, non

devi muoverti, devi solo startene tranquilla e aspettare.

– ...

– Andrà tutto bene.

– Sì.

– Ascoltami. Può darsi che io me ne debba andare via con quei signori. Tu non uscire fino a quando non verrà a prenderti tuo fratello, hai capito? O fino a quando sentirai che non c'è più nessuno e che tutto è finito.

– Sì.

– Devi aspettare che non ci sia più nessuno.

– ...

– Non aver paura, Nina, non ti può succedere nulla. Va bene?

– Sì.

– Dammi un bacio.

La bambina appoggiò le labbra sulla fronte del padre. Il padre le passò una mano tra i capelli.

– Andrà tutto bene, Nina.

Poi rimase lì, come se qualcosa ancora si dovesse dire, o fare.

– Non era questo che volevo.

Disse.

– Ricordati sempre che non era questo che volevo.

La bambina cercò istintivamente negli occhi del padre qualcosa che la aiutasse a capire. Non vide nulla. Il padre si chinò verso di lei e la baciò sulle labbra.

– Adesso vai, Nina. Dài, scendi là sotto.

La bambina si lasciò cadere nel buco. La terra era dura, e secca. Lei si sdraiò.

– Aspetta, tieni questa.

Il padre le porse una coperta. Lei la distese sulla terra, poi tornò a sdraiarsi.

Sentì il padre che le diceva qualcosa, poi vide il coperchio della botola che si abbassava. Chiuse gli occhi, e li riaprì. Dalle assi del pavimento filtravano lame di luce. Sentì la voce del padre che continuava a parlarle. Sentì il rumore delle ceste trascinate sul pavimento. Diventò più buio, là sotto. Suo padre le chiese qualcosa. Lei rispose. Si era sdraiata su un fianco. Aveva piegato le gambe, e se ne stava lì, rannicchiata, come se fosse nel suo letto, con nient'altro da fare che addormentarsi, e sognare. Sentì suo padre dirle ancora qualcosa, con dolcezza, chinato sul pavimento. Poi sentì uno sparo, e il rumore di una finestra che andava in mille pezzi.

– ROCA!... VIENI FUORI, ROCA... NON FARE FESSERIE E VIENI FUORI.

Manuel Roca guardò suo figlio. Strisciò verso di lui, stando attento a non finire allo scoperto. Si allungò per prendere il fucile sul tavolo.

– Togliti da lì, cristo. Va' a nasconderti nella legnaia. Non venir fuori, non farti sentire, non fare niente. Portati dietro il fucile e tienilo carico.

Il bambino lo fissava senza muoversi.

– Muoviti. Fa' quel che ti ho detto.

Ma il bambino fece un passo verso di lui.

Nina sentì una grandinata di colpi spazzare la casa, sopra di lei. Polvere e pezzi di vetro che scivolano giù dalle fessure del pavimento. Non si mosse. Sentì una voce che da fuori gridava.

– ALLORA, ROCA. DOBBIAMO VENIRE A PRENDERTI?... DICO A TE, ROCA. DEVO VENIRE A PRENDERTI?

Il bambino era rimasto in piedi, allo scoperto.

Aveva preso il suo fucile, ma lo teneva abbassato. Lo faceva dondolare, stringendolo in una mano.

– Vattene – gli disse il padre – mi hai sentito?, vattene via da lì.

Il bambino gli si avvicinò. Quel che pensava era di inginocchiarsi per terra, e farsi abbracciare da suo padre. Si immaginava una cosa del genere.

Il padre gli puntò il fucile adosso. Parlò a voce bassa, ma con ferocia.

– Vattene, o ti uccido io.

Nina sentì di nuovo quella voce.

– ULTIMO AVVERTIMENTO, ROCA.

Una raffica sventagliò per la casa, avanti e indietro come un pendolo, sembrava non finisse mai, avanti e indietro come la luce di un faro, sul bitume del mare nero, paziente.

Nina chiuse gli occhi. Si appiattì contro la coperta, e si rannicchiò ancora di più, tirando su le ginocchia, verso il petto. Le piaceva stare così. Sentiva la terra, fresca, sotto il fianco, a proteggerla – lei non poteva tradirla. E sentiva il proprio corpo raccolto, rigirato su se stesso come una conchiglia – questo le piaceva – era guscio e animale, riparo di se stessa, era tutto, era per se stessa tutto, nulla avrebbe potuto farle del male fino a quando fosse rimasta in quella posizione – riaprì gli occhi, e pensò Non muoverti, sei felice.

Manuel Roca vide il figlio sparire dietro la porta. Poi si sollevò quel che bastava per gettare un'occhiata fuori dalla finestra. Va bene, pensò. Cambiò finestra, si alzò, mirò velocemente e sparò.

L'uomo col vestito color panna imprecò e si buttò per terra. Ma guarda 'sto bastardo, disse. Scosse il capo. Ma guarda 'sta puttana. Sentì altri due colpi arrivare dalla fattoria. Poi sentì la voce di Manuel Roca.

– VAFFANCULO, SALINAS.

L'uomo col vestito color panna sputò a terra. Vacci tu, bastardo. Gettò un'occhiata verso la sua destra e vide el Gurre ghignare, appiattito dietro una catasta di legname. Gli fece cenno di sparare. El Gurre continuava a ghignare. Teneva il piccolo mitragliatore con la destra, e con la sinistra cercava una sigaretta nel taschino. Non sembrava avere fretta. Era piccolo e magro, portava in testa un cappello lercio e ai piedi due scarpe da montagna, enormi. Guardò Salinas. Trovò la sigaretta. Se la mise tra le labbra. Tutti lo chiamavano el Gurre. Si alzò, e si mise a sparare.

Nina sentì la raffica spazzare la casa, sopra di lei. Poi il silenzio. E subito dopo un'altra raffica, più lunga. Teneva gli occhi aperti. Guardava le fessure del pavimento. Guardava la luce, e la polvere che veniva da lì. Ogni tanto vedeva un'ombra passare, e quello era suo padre.

Salinas strisciò accanto a el Gurre, dietro alla catasta di legna.

– Quanto tempo ci mette Tito a entrare?

El Gurre sollevò le spalle. Continuava a ghignare. Salinas diede un'occhiata alla fattoria.

– Noi da qui non ci entreremo mai là dentro, o ce la fa lui o siamo nella merda.

El Gurre si accese la sigaretta. Poi disse che il ragazzo era sveglio e ce l'avrebbe fatta. Disse che sapeva strisciare come un serpente e che bisognava fidarsi di lui.

Poi disse: Adesso noi facciamo un po' di rumore.

Manuel Roca vide spuntare el Gurre da dietro

il legname e si buttò a terra. La raffica arrivò puntuale, prolungata. Devo andarmene da qui, pensò. Le munizioni. Prima le munizioni, poi strisciare fino alla cucina e da lì dritto per i campi. Avranno messo qualcuno anche sul retro della casa? El Gurre non è stupido, avrà messo qualcuno anche lì. Ma non sparano, da quella parte. Se ci fossero, sparerebbero. Forse a comandare non è el Gurre. Forse è quel vigliacco di Salinas. Se è Salinas, posso farcela. Non capisce nulla, Salinas. Stattene dietro la scrivania, Salinas, è l'unica cosa che sai fare. Vai a farti fottere. Prima le munizioni.

El Gurre sparava.

Le munizioni. E i soldi. Magari riesco a portarmi via anche i soldi. Dovevo scappare subito, ecco cosa dovevo fare. Che coglione. Adesso me ne devo andare via da qui, se solo quello la smettesse un attimo, dove l'avrà preso un mitragliatore, hanno una macchina e un mitragliatore. Troppa grazia, Salinas.

Le munizioni. I soldi, adesso.

El Gurre sparava.

Nina sentiva le finestre sfarinarsi sotto i colpi

del mitragliatore. Poi lame di silenzio tra una raffica e l'altra. Nel silenzio, l'ombra di suo padre strisciare tra i vetri. Con una mano si aggiustò la gonna. Sembrava un artigiano intento a rifinire il suo lavoro. Rannicchiata su un fianco, si mise a cancellare una ad una le imprecisioni. Allineò i piedi fino a sentire le gambe perfettamente appaiate, le due cosce morbidamente unite, le ginocchia come due tazze in bilico una sull'altra, le caviglie separate da un nulla. Ricontrollò la simmetria delle scarpe, accoppiate come in una vetrina, ma di taglio, avresti detto *sdraiate*, per stanchezza. Le piaceva quell'ordine. Se sei una conchiglia, è importante l'ordine. Se sei guscio e animale, tutto deve essere perfetto. L'esattezza ti salverà.

Sentì spegnersi il frullare di una raffica lunghissima. E subito dopo la voce di un ragazzo.

– Molla quel fucile, Roca.

Manuel Roca voltò la testa. Vide Tito, in piedi, a pochi metri da lui. Gli stava puntando addosso una pistola.

– Non muoverti e butta quel fucile.

Da fuori partì un'altra raffica. Ma il ragazzo

non si mosse, rimase lì, in piedi, la pistola puntata. Sotto quella pioggia di colpi, i due rimasero immobili, a fissarsi, come un unico animale che avesse smesso di respirare. Manuel Roca, mezzo sdraiato per terra, fissò negli occhi il ragazzo, in piedi allo scoperto. Cercò di capire se era un bambino o un soldato, se era la millesima volta o la prima, e se c'era un cervello, attaccato a quella pistola, o solo la cecità di un istinto. Vide la canna della pistola tremare impercettibilmente, come se disegnasse un minuscolo scarabocchio nell'aria.

– Calma, ragazzo –, disse.

Lentamente posò il fucile per terra. Con un calcio lo fece scivolare verso il centro della stanza.

– Va tutto bene, ragazzo –, disse.

Tito non smetteva di fissarlo.

– Sta' zitto, Roca. E non muoverti.

Arrivò un'altra raffica. El Gurre lavorava con metodo. Il ragazzo aspettò che finisse, senza abbassare la pistola né lo sguardo. Quando tornò il silenzio, diede un'occhiata in direzione della finestra.

– SALINAS! L'HO PRESO. SMETTETELA, L'HO PRESO.

E dopo un attimo:

– SONO TITO. L'HO PRESO.

– Ce l'ha fatta, cazzo –, disse Salinas.

El Gurre fece una specie di sorriso, senza voltarsi. Stava osservando la canna del mitragliatore come se l'avesse intagliata lui, nelle ore vuote, da un ramo di frassino.

Tito li cercò nella luce della finestra.

Lentamente Manuel Roca si sollevò quel tanto che gli bastava ad appoggiare la schiena al muro. Pensò alla pistola che gli premeva sul fianco, infilata nei pantaloni. Cercò di ricordarsi se era carica. La sfiorò con una mano. Il ragazzo non si accorse di niente.

Andiamo, disse Salinas. Girarono intorno alla catasta di legno e puntarono dritto alla fattoria. Salinas camminava leggermente curvo, come aveva visto fare nei film. Era ridicolo come tutti gli uomini che combattono: senza rendersene conto. Stavano attraversando l'aia quando sentirono, da dentro, un colpo di pistola.

El Gurre partì di corsa, arrivò davanti alla porta della fattoria, e la aprì con un calcio.

Con un calcio aveva sfondato la porta della stalla, tre anni prima, poi era entrato e aveva visto sua moglie impiccata al tetto, e le sue due figlie coi capelli rasati a zero, le cosce sporche di sangue.

Aprì la porta con un calcio, entrò e vide Tito, in piedi, la pistola puntata verso un angolo della stanza.

– Ho dovuto farlo. Ha una pistola –, disse il ragazzo.

El Gurre guardò nell'angolo. Roca giaceva sdraiato sulla schiena. Sanguinava da un braccio.

– Credo abbia una pistola –, disse ancora il ragazzo. Nascosta da qualche parte, aggiunse.

El Gurre si avvicinò a Manuel Roca.

Guardò la ferita del braccio. Poi guardò l'uomo in faccia.

– Salve, Roca –, disse.

Appoggiò una scarpa sul braccio ferito di Roca, e iniziò a schiacciare. Roca urlò dal dolore e si girò su se stesso. La pistola scivolò fuori dai pantaloni. El Gurre si chinò a raccoglierla.

– Sei in gamba, ragazzo –, disse. Tito annuì. Si

rese conto che aveva ancora il braccio teso davanti a sé, e la pistola in pugno, puntata su Roca. La abbassò. Sentì le sue dita rilassarsi intorno al calcio della pistola. Aveva male a tutta la mano, come se avesse preso a pugni un muro. Calma, pensò.

A Nina venne in mente quella canzone che iniziava: Conta le nuvole, il tempo verrà. Poi diceva qualcosa su un'aquila. E finiva con tutti i numeri, uno dopo l'altro, dall'uno al dieci. Ma si poteva fare anche che contavi fino a cento, o a mille. Lei una volta aveva contato fino a duecentoquarantatré. Pensò che adesso si sarebbe alzata da lì e sarebbe andata e vedere chi erano quegli uomini, e cosa volevano. Avrebbe cantato tutta la canzone e poi si sarebbe alzata. Se non fosse riuscita ad aprire la botola, avrebbe gridato, e suo padre sarebbe venuto a prenderla. Però restò così, sdraiata sul fianco, le ginocchia raccolte verso il petto, le scarpe in bilico una sull'altra, la guancia a sentire il fresco della terra attraverso la lana ruvida della coperta. Si mise a cantare quella canzone, con un filo di voce. Conta le nuvole, il tempo verrà.

– Ci si rivede, dottore –, disse Salinas.

Manuel Roca lo guardò senza parlare. Teneva uno straccio premuto sulla ferita. Lo avevano fatto sedere in mezzo alla stanza, su una cassa di legno. El Gurre se ne stava dietro di lui, da qualche parte, stringendo in mano il suo mitragliatore. Il ragazzo l'avevano messo sulla porta: controllava che nessuno arrivasse, fuori, e ogni tanto si voltava, e guardava quello che accadeva nella stanza. Salinas, lui, camminava avanti e indietro. Una sigaretta accesa tra le dita. Francese.

– Mi hai fatto perdere molto tempo, lo sai? –, disse.

Manuel Roca alzò lo sguardo su di lui.

– Tu sei pazzo, Salinas.

– Trecento chilometri per venirti a stanare quaggiù. È un sacco di strada.

– Dimmi cosa vuoi e vattene.

– Cosa voglio?

– Cosa vuoi, Salinas?

Salinas rise.

– Voglio te, dottore.

– Tu sei pazzo. La guerra è finita.

– Cosa hai detto?

– La guerra è finita.

Salinas si chinò su Manuel Roca.

– Lo decide chi vince, quando una guerra finisce.

Manuel Roca scosse la testa.

– Tu leggi troppi romanzi, Salinas. La guerra è finita e basta, lo vuoi capire?

– Non la tua. Non la mia, dottore.

Allora Manuel Roca si mise a urlare che non dovevano toccarlo, che sarebbero finiti tutti in galera, che li avrebbero presi e avrebbero passato il resto della loro vita a marcire in prigione. Urlò al ragazzo se gli piaceva l'idea di invecchiare dietro le sbarre a contare le ore e fare pompini a qualche schifoso assassino. Il ragazzo lo guardò senza rispondere. Allora Manuel Roca gli urlò che era un imbecille, che lo stavano fregando, e gli stavano fottendo la vita. Ma il ragazzo non disse niente. Salinas rideva. Guardava el Gurre e rideva. Aveva l'aria di divertirsi. Alla fine ridiventò serio, si piazzò davanti a Manuel Roca e gli disse di tacere, una buona volta. Infilò una mano all'interno della giacca e ne tirò fuori una pistola. Poi disse a Roca che non si doveva preoccupare per loro, che nessuno avrebbe mai saputo niente.

– Tu scomparirai nel nulla, e non se ne parlerà più. I tuoi amici ti hanno abbandonato, Roca. E i miei sono molto occupati. A ucciderti facciamo solo un gran piacere a tutti. Sei fottuto, dottore.

– Voi siete pazzi.

– Cosa dici?

– Voi siete pazzi.

– Dillo ancora, dottore. Mi piace sentirti parlare di pazzi.

– Vai a farti fottere, Salinas.

Salinas fece scattare l'otturatore della pistola.

– Allora ascoltami, dottore. Sai quante volte ho sparato, io, in quattro anni di guerra? Due volte. Non mi piace sparare, non mi piacciono le armi, non ne ho mai volute addosso, non mi diverto a uccidere, ho combattuto la mia guerra seduto a una scrivania, Salinas il Ratto, te lo ricordi?, mi chiamavano così i tuoi amici, li ho fottuti uno a uno, decifravo i loro messaggi in codice e gli attaccavo le mie spie ai coglioni, loro mi disprezzavano e io li fottevo, è andata così per quattro anni, ma la verità è che io ho sparato solo due volte, una era di notte, ho sparato nel buio contro nessuno, l'altra è stata l'ultimo giorno di guerra, ho sparato a mio fratello

ascoltami bene, entrammo in quell'ospedale prima che ci arrivasse l'esercito, volevamo entrarci noi per ammazzarvi tutti, ma non vi trovammo, ve n'eravate fuggiti, vero?, avevate fiutato l'aria, vi siete tolti il camice da aguzzini e ve ne siete andati, lasciando tutto lì, così com'era, letti dappertutto, anche nei corridoi, malati ovunque ma io me lo ricordo bene non si sentiva un lamento, non un rumore, niente, questo non lo dimenticherò mai, c'era un silenzio assoluto, tutte le notti della mia vita continuerò a sentirlo, un silenzio assoluto, erano i nostri amici, là nei letti, e noi stavamo andando a liberarli, noi li stavamo salvando, ma quando arrivammo ci accolsero in silenzio, e questo perché non avevano neppure più la forza di lamentarsi, e a dir tutta la verità non avevano più voglia di essere vivi, non volevano esser salvati, questa è la verità, li avevate ridotti in un modo tale che volevano solo morire, il più presto possibile, non volevano essere salvati, volevano essere uccisi

trovai mio fratello in un letto in mezzo agli altri, giù in cappella, mi guardò come se io fossi un miraggio lontano, provai a parlargli ma lui non rispondeva, non capivo se mi riconosceva, mi chinai su di lui, lo supplicai di rispondermi, gli chiesi di dirmi qualcosa, lui aveva gli occhi sbarrati, il respiro lentissimo, qualcosa che sembrava una lunghissima agonia, ero chinato su di lui quando sentii la sua voce dire Ti prego, lentissimamente, con uno sforzo sovrumano, una voce che sembrava venire dall'inferno, non c'entrava niente con la sua voce, mio fratello aveva una voce squillante, quando parlava sembrava che ridesse, ma quella voce era tutta un'altra cosa, disse lentamente Ti prego e solo dopo un po' disse ancora Uccidimi, gli occhi non avevano espressione, niente, erano come gli occhi di un altro, il corpo era immobile, c'era solo quel respiro lentissimo che andava su e giù

io gli dissi che l'avrei portato via da lì, che era tutto
finito e adesso ci avrei pensato io, a lui, ma lui sembrava risprofondato nel suo inferno, era tornato da dove era venuto, aveva detto quel che voleva dire e poi se n'era tornato nel suo incubo, cosa potevo fare io?, pensai come potevo portarlo via da lì, mi guardai intorno per cercare un aiuto, volevo portarlo via da lì, ne ero sicuro, eppure non riuscivo a muovermi, non riuscii più a muovermi, non so quanto tempo passò, quel che ricordo è che a un certo punto mi girai e a pochi metri da me vidi el Blanco, stava in piedi, a fianco di un letto, con il mitragliatore in spalla, e quello che stava facendo era schiacciare un cuscino sulla faccia di quel ragazzo, quello steso sul letto

el Blanco piangeva e schiacciava il cuscino, nel silenzio della cappella si sentivano solo i suoi singhiozzi, il ragazzo neanche si muoveva, non faceva rumore, se ne andava in silenzio, ma el Blanco lui singhiozzava, come un bambino, poi tolse il cuscino e con le dita chiuse gli occhi al ragazzo, e allora mi guardò, io lo stavo guardando e lui mi guardò, io volevo dirgli Cosa stai facendo?, ma non mi uscì niente, e fu in quel momento che qualcuno entrò e disse che stava arrivando l'esercito, che dovevamo filarcela, io mi sentii perduto, non volevo farmi trovare lì, sentivo il rumore degli altri che correvano per i corridoi, allora sfilai il cuscino da sotto la testa di mio fratello, dolcemente, rimasi per un po' a guardare quegli occhi spaventosi, appoggiai il cuscino sulla sua faccia e cominciai a premere, chinato su mio fratello, premevo con le mani sul cuscino, e sentivo le ossa del viso di mio fratello, là sotto, sotto le mie mani, non si può chiedere a nessuno di fare una cosa del genere, non potevano chiederlo a me, provai a resistere ma a un certo punto mollai, tirai via tutto, mio fratello respirava ancora, ma era qualcosa che andava a scavare aria in fondo all'inferno, era una cosa terribile, gli occhi immobili e quel rantolo, lo guardavo e mi accorsi che stavo gridando, sentivo la mia voce che gridava, ma come da lontano, come un lamento monotono e sfinente, non potevo tenerla, se ne andava così, gridavo ancora quando mi accorsi del Blanco, era accanto a me, non diceva niente ma mi stava porgendo una pistola, mentre io gridavo, e tutti se ne stavano fuggendo, noi due là dentro, lui mi porse la pistola, io la presi, appoggiai la canna sulla fronte di mio fratello, senza smettere di gridare, e sparai.

Guardami, Roca. Ho detto di guardarmi. In tutta la guerra io ho sparato due volte, la prima era di notte contro nessuno, la seconda ho sparato a bruciapelo, a mio fratello.

Voglio dirti una cosa. Sparerò un'altra volta ancora, l'ultima.

Allora Roca ricominciò a gridare.

– IO NON C'ENTRO NIENTE.

– Tu non c'entri niente?

– NON C'ENTRO NIENTE CON L'OSPEDALE.

– COSA DIAVOLO DICI?

– IO FACEVO QUELLO CHE MI ORDINAVANO.

– TU...

– IO NON C'ERO QUANDO...

– COSA CAZZO DICI...

– LO GIURO, IO...

– QUELLO ERA IL TUO OSPEDALE, BASTARDO.

– IL MIO OSPEDALE?

– QUELLO ERA IL TUO OSPEDALE, TU ERI IL DOTTORE CHE LI CURAVA, TU LI HAI UCCISI, TU LI HAI FATTI A PEZZI, LORO TE LI MANDAVANO E TU LI FACEVI A PEZZI...

– IO NON HO MAI...

– STA' ZITTO!

– TE LO GIURO, SALINAS...

– STA' ZITTO!

– IO NON...

– STA' ZITTO!

Salinas appoggiò la canna della pistola a un ginocchio di Roca. Poi sparò. Il ginocchio esplose come un frutto marcio. Roca cadde all'indietro, e si raggomitolò per terra, urlando dal dolore. Salinas gli stava sopra, in piedi, gli puntava la pistola addosso e continuava a gridare.

– IO TI AMMAZZO, HAI CAPITO? TI STO AMMAZZANDO, BASTARDO, IO TI AMMAZZO.

El Gurre fece un passo avanti. Il ragazzo, sulla

porta, guardava, in silenzio. Salinas gridava, aveva il vestito color panna spruzzato di sangue, gridava con una strana voce stridula, sembrava che piangesse. O che non fosse più capace di respirare. Urlava che l'avrebbe ammazzato. Poi tutti udirono una voce impossibile dire qualcosa piano.

– Andatevene.

Si voltarono e videro un bambino, in piedi, dall'altra parte della stanza. Aveva un fucile in mano e lo teneva puntato verso di loro. Disse ancora una volta, piano:

– Andatevene.

Nina sentiva la voce rauca di suo padre che rantolava dolore e poi sentì la voce di suo fratello. Pensò che quando fosse uscita da lì sarebbe andata da suo fratello e gli avrebbe detto che aveva una voce bellissima, perché davvero le parve bellissima, così pulita e infinitamente bambina, quella voce che aveva sentito mormorare adagio:

– Andatevene.

– MA CHI CAZZO...

– È il figlio, Salinas.

– CHE CAZZO DICI?

– È il figlio di Roca –, disse el Gurre.

Salinas bestemmiò qualcosa, si mise a urlare che non doveva esserci nessuno, lì, NON DOVEVA ESSERCI NESSUNO QUI, COS'È QUESTA STORIA, AVEVATE DETTO CHE NON C'ERA NESSUNO, gridava e non sapeva dove puntare la pistola, guardava el Gurre, e poi il ragazzo, poi alla fine guardò il bambino col fucile e gli urlò che era un fottuto stupido, e che non sarebbe uscito vivo da lì se non posava subito quel dannato fucile.

Il bambino rimase in silenzio e non abbassò il fucile.

Allora Salinas smise di gridare. Gli uscì una voce calma e feroce. Disse al bambino che adesso sapeva che razza di uomo era suo padre, adesso sapeva che era un assassino, che aveva ammazzato decine di persone, a volte li avvelenava a poco a poco, con le sue medicine, ma altri li aveva uccisi aprendogli il petto e poi lasciandoli lì a morire. Disse al bambino che lui aveva visto con i suoi occhi dei ragazzi uscire da quell'ospedale con il cervello bruciato, camminavano a stento, non parlavano, ed erano come dei bambini idioti. Gli disse che suo padre lo chiamavano la Iena, e che erano i suoi stessi amici a chiamarlo così, la Iena, e lo facevano ridendo. Roca rantolava per terra. Iniziò a mormorare piano Aiuto, come da lontano – aiuto, aiuto, aiuto – una litania. Sentiva la morte arrivare. Salinas non lo guardò neppure. Continuava a parlare al bambino. Il bambino stava ad ascoltare, immobile. Alla fine Salinas gli disse che le cose stavano così, e che era tardi per fare qualunque cosa, anche tenere un fucile in mano. Lo guardò negli occhi, con una stanchezza infinita, e gli chiese se aveva capito chi era quell'uomo, se l'aveva capito veramente. Con una mano indicava Roca. Voleva sapere se il bambino aveva capito chi era.

Il bambino mise insieme tutto quello che sapeva, e quel che aveva capito della vita. Rispose:

– È mio padre.

Poi sparò. Un solo colpo. Nel vuoto.

El Gurre rispose d'istinto. La raffica sollevò il bambino da terra e lo scaraventò contro il muro, in un pasticcio di piombo, ossa e sangue. Come un uccello colpito in volo, pensò Tito.

Salinas si buttò a terra. Finì disteso di fianco a

Roca. Per un attimo i due uomini si guardarono negli occhi. Dalla gola di Roca uscì un urlo opaco, orribile. Salinas si tirò indietro, strisciando sul pavimento. Si girò sulla schiena per togliersi da dosso gli occhi di Roca. Iniziò a tremare tutto. C'era un grande silenzio, intorno. Solo quell'urlo orribile. Salinas si alzò sui gomiti e guardò verso il fondo della stanza. Il corpo del bambino se ne stava appoggiato alla parete, sfrangiato dai colpi di mitragliatore, spalancato dalle ferite. Il fucile era volato via in un angolo. Salinas vide che il bambino aveva la testa rovesciata, e nella bocca aperta vide i piccoli denti bianchi, ordinati e bianchi. Allora si lasciò cadere all'indietro, sulla schiena. Aveva negli occhi le travi allineate del soffitto. Legno scuro. Vecchio. Tremava dappertutto. Non riusciva a tenere ferme le mani, le gambe, niente.

Tito fece due passi verso di lui.

El Gurre lo fermò con un cenno.

Roca urlava un urlo sporco, un urlo da morto.

Salinas disse piano:

– Fallo smettere.

Lo disse cercando di fermare i denti che gli battevano come matti.

El Gurre cercò i suoi occhi per capire cosa voleva.

Gli occhi di Salinas fissavano il soffitto. Travi allineate di legno scuro. Vecchio.

– Fallo smettere –, ripeté.

El Gurre fece un passo avanti.

Roca urlava, disteso nel suo sangue, la bocca orrendamente spalancata.

El Gurre gli infilò in gola la canna del mitragliatore.

Roca continuò ad urlare, contro il ferro caldo della canna.

El Gurre sparò. Una raffica breve. Secca. L'ultima della sua guerra.

– Fallo smettere –, disse ancora Salinas.

Nina sentì un silenzio che faceva paura. Allora unì le mani e le infilò tra le gambe. Si piegò ancora di più avvicinando le ginocchia alla testa. Pensò che adesso tutto sarebbe finito. Suo padre sarebbe venuto a prenderla e sarebbero andati a cena. Pensò che di quella storia non avrebbero più parlato, e che presto l'avrebbero dimenticata: lo pensò perché era una bambina, e ancora non poteva sapere.

– La bambina –, disse el Gurre.

Teneva Salinas per un braccio, per farlo stare in piedi. Gli disse piano:

– La bambina.

Salinas aveva uno sguardo vuoto, terribile.

– Che bambina?

– La figlia di Roca. Se c'era in giro il bambino magari c'è anche lei.

Salinas grugnì qualcosa. Poi con uno strattone allontanò el Gurre. Si appoggiò al tavolo per stare in piedi. Aveva le scarpe a mollo nel sangue di Roca.

El Gurre fece un cenno a Tito, poi si diresse verso la cucina. Passando davanti al bambino si chinò un attimo e gli chiuse gli occhi. Non come un padre. Come uno che uscendo da una stanza spegnesse la luce.

Tito pensò agli occhi di suo padre. Un giorno avevano bussato alla porta di casa. Tito non li aveva mai visti prima. Ma loro gli dissero che avevano un messaggio per lui. Poi gli avevano porto un sacchetto di stoffa. Lui lo aveva aperto e dentro c'erano gli occhi di suo padre. Vedi tu da che parte stare, ragazzo, gli avevano detto. E se n'erano andati.

Tito vide una tenda chiusa, dall'altra parte della camera. Tolse la sicura alla pistola e si avvicinò. Scostò la tenda. Entrò nella stanzetta. C'era una grande confusione. Sedie capovolte, bauli, attrezzi da lavoro e delle ceste piene di frutta mezza marcia. C'era un forte odore di roba andata a male. E di umidità. Sul pavimento la polvere era strana: sembrava che qualcuno ci avesse strisciato sopra i piedi. O qualcos'altro.

Si sentiva el Gurre che dall'altra parte della casa batteva col mitragliatore contro le pareti, per cercare porte nascoste. Salinas doveva essere sempre là, appoggiato al tavolo, a tremare. Tito spostò una cesta di frutta. Riconobbe sul pavimento il profilo di una botola. Batté forte con uno stivale per terra, per sentire che rumore faceva. Spostò altre due ceste. Era una piccola botola, tagliata con cura. Tito alzò lo sguardo. Da una finestrella si vedeva, fuori, il buio. Neanche si era accorto che fosse già notte. Pensò che era ora di andarsene, da lì. Poi si inginocchiò per terra, e sollevò il coperchio della botola. C'era una bambina, là dentro, rannicchiata sul fianco, le mani nascoste tra le cosce, la testa leggermente piegata in avanti, verso le ginocchia. Aveva gli occhi aperti.

Tito puntò la pistola sulla bambina.

– SALINAS! –, gridò.

La bambina girò la testa e lo guardò. Aveva gli occhi scuri, tagliati in un modo strano. Lo guardava senza nessuna espressione. Aveva le labbra socchiuse e respirava tranquilla. Era un animale nella sua tana. Tito sentì tornargli addosso la sensazione provata mille volte nel trovare quella esatta posizione, tra il tepore delle lenzuola o sotto qualche sole di pomeriggio da bambini. Le ginocchia piegate, le mani in mezzo alle gambe, i piedi in bilico. La testa piegata leggermente in avanti, a chiudere il cerchio. Dio, com'era bello, pensò. La pelle della bambina era bianca, e il contorno delle sue labbra perfetto. Le gambe uscivano da una gonnellina rossa, e lo facevano come un disegno. Era tutto così ordinato. Era tutto così compiuto.

Esatto.

La bambina girò di nuovo la testa, nella posizione di prima. La piegò un po' in avanti, a chiudere il cerchio. Tito si rese conto che nessuno aveva risposto, di là dalla tenda. Doveva essere passato del tempo, eppure nessuno aveva risposto. Si sentiva el Gurre che batteva col suo mitragliatore contro le pareti della casa. Un rumore sordo, meticoloso. Fuori era buio. Abbassò il coperchio della botola. Lentamente. Per un po' rimase lì, inginocchiato, a guardare se dalle fessure del pavimento si vedeva la bambina. Avrebbe voluto pensare. Ma non ci riusciva. Ogni tanto si è troppo stanchi per pensare. Si alzò. Rimise a posto le ceste. Sentiva il cuore battergli alle tempie.

Uscirono nella notte che sembravano ubriachi. El Gurre reggeva Salinas, spingendolo avanti. Tito camminava dietro di loro. Da qualche parte, la vecchia Mercedes li aspettava. Fecero alcune decine di metri, senza scambiare una parola. Poi Salinas disse qualcosa al Gurre e el Gurre tornò indietro, verso la fattoria. Non sembrava molto convinto, ma tornò indietro. Salinas si appoggiò a Tito e gli disse di camminare. Passarono accanto alla catasta di legna e lasciarono la strada per prendere un sentiero che andava per i campi. C'era un gran silenzio, intorno, e anche per questo Tito non riuscì a dire la frase che aveva in mente e che aveva deciso di dire. C'è ancora una bambina là dentro. Era stanco, e c'era troppo silenzio. Salinas si fermò. Tremava e faceva una fatica enorme a camminare. Tito gli disse piano qualcosa, poi si voltò e gettò uno sguardo all'indietro, verso la fattoria. Vide el Gurre correre verso di loro. E vide che alle sue spalle la fattoria squarciava il buio, accesa da un incendio che se la stava divorando. Uscivano fiamme dappertutto e una nube di fumo nero saliva lenta nella notte. Tito si staccò da Salinas e rimase impietrito, a guardare. El Gurre li raggiunse e senza fermarsi disse Andiamo, ragazzo. Ma Tito non si mosse.

– Cosa diavolo hai fatto? –, disse.

El Gurre stava cercando di trascinare via Salinas. Ripeté che bisognava andare. Allora Tito lo afferrò al collo e iniziò a urlargli in faccia COSA DIAVOLO HAI FATTO?

– Calma ragazzo –, disse el Gurre.

Ma Tito non la smetteva, si mise a urlare sempre più forte, COSA DIAVOLO HAI FATTO?, scuotendo el Gurre come un fantoccio, COSA DIAVOLO HAI FATTO?, lo aveva sollevato da terra e non smetteva di sbatterlo per aria COSA DIAVOLO HAI FATTO? finché Salinas si mise a urlare anche lui, FALLA FINITA, RAGAZZO, sembravano tre matti, abbandonati su un palcoscenico spento, ADESSO SMETTILA!

Di un teatro in rovina.

Alla fine trascinarono via Tito con la forza. I bagliori dell'incendio illuminavano la notte. Attraversarono un campo e scesero fino alla strada, seguendo la traccia del vecchio rio. Quando arrivarono in vista della vecchia Mercedes, el Gurre mise una mano sulla spalla di Tito e gli disse piano che era stato in gamba e che adesso era tutto finito. Ma lui non la smetteva di ripetere quella frase. Non urlava. La diceva piano, con una voce da bambino. Cosa diavolo abbiamo fatto. Cosa diavolo abbiamo fatto. Cosa diavolo abbiamo fatto.

Nella campagna, la vecchia fattoria di Mato Rujo dimorava cieca, scolpita in rosso fiamma contro il buio della notte. L'unica macchia nel profilo svuotato della pianura.

Tre giorni dopo, un uomo arrivò, a cavallo, alla fattoria di Mato Rujo. Era vestito di stracci e sporco ovunque. Il cavallo era un vecchio ronzino, tutto pelle e ossa. Aveva qualcosa agli occhi, per cui le mosche giravano intorno al liquido giallo che gli colava sul muso.

L'uomo vide i muri della fattoria che se ne stavano anneriti e inutili in mezzo a un enorme braciere spento. Sembravano i denti superstiti della bocca di un vecchio. L'incendio s'era preso anche una grande quercia, che da anni faceva ombra alla casa. Come un artiglio nero, puzzava di sventura.

L'uomo rimase in sella. Fece un mezzo giro intorno alla fattoria, al passo. Si avvicinò al pozzo e senza scendere da cavallo slegò il secchio e lo lasciò cadere. Sentì lo schiaffo della lamiera sull'acqua. Alzò lo sguardo verso la fattoria. Vide che seduta per terra, appoggiata a quel che era rimasto del muro, c'era una bambina. Lo stava fissando, con due occhi immobili che brillavano in mezzo a un volto sporco di fumo. Aveva una gonnellina rossa. Aveva graffi dappertutto. O ferite.

L'uomo tirò su il secchio dal pozzo. L'acqua era nerastra. Girò un po' con il cucchiaio di stagno, ma il nero non andava via. Riempì il cucchiaio, lo portò alle labbra e bevve un lungo sorso. Guardò ancora nell'acqua del secchio. Ci sputò dentro. Poi appoggiò tutto sul bordo del pozzo e strinse i talloni sul ventre del cavallo.

Arrivò vicino alla bambina. Lei alzò la testa per guardarlo. Non sembrava aver niente da dire. L'uomo la studiò per un po'. Gli occhi, le labbra, i capelli. Poi le porse una mano. Lei si alzò, strinse la mano dell'uomo, e si fece sollevare fino a montare in groppa, dietro di lui. Il vecchio ronzino si aggiustò sulle zampe. Tirò su il muso, due volte. L'uomo fece uno strano verso, con la bocca, e il cavallo si calmò.

Mentre si allontanavano dalla fattoria, al passo, sotto un sole feroce, la bambina lasciò cadere in avanti la testa e, con la fronte appoggiata alla schiena sudicia dell'uomo, si addormentò.

d u e

Al semaforo scattò il verde e la donna attraversò la strada. Camminava guardando per terra, perché aveva appena smesso di piovere e nei cedimenti dell'asfalto erano rimaste delle pozze a ricordare quella pioggia improvvisa di inizio primavera. Camminava con passo elegante, misurato dalla gonna stretta di un tailleur nero. Vedeva le pozzanghere e le evitava.

Quando arrivò sul marciapiede opposto si fermò. Passava la gente, affollando il tardo pomeriggio di passi verso casa, o in libertà. Alla donna piaceva sentirsi colare la città addosso, così se ne rimase un po' lì, in mezzo al marciapiede, inspiegabile come una donna che lì fosse stata lasciata, bruscamente, dal suo amante. Incapace di darsene ragione.

Poi decise per la sua destra, e in quella direzione si accodò al passeggio collettivo. Senza fretta, andava bordeggiando le vetrine, stringendosi uno scialle sul petto. Nonostante l'età, camminava, alta e sicura, nobilitando i suoi capelli bianchi con la giovinezza del portamento. Bianchi, li teneva raccolti sulla nuca, e fermati da un pettine scuro, da ragazza.

Si fermò davanti a un negozio di elettrodomestici, e per un po' rimase a fissare la parete di televisori che rimandava la moltiplicazione inutile di uno stesso commentatore del telegiornale. Ma con sfumature di colore differenti, che la incuriosivano. Partì un filmato da qualche città in guerra e lei riprese a camminare. Attraversò Calle Medina e poi la piazzetta del Divino Soccorso. Quando arrivò davanti alla Galleria Florencia si voltò a guardare la prospettiva di luci che si allineava dentro il ventre del palazzo fino a sbucare dall'altra parte, in Avenida 24 luglio. Si fermò. Alzò lo sguardo cercando qualcosa sulla volta di ferro che disegnava il grande ingresso. Ma non trovò nulla. Fece qualche passo dentro la galleria, poi fermò un uomo. Si scusò, e gli chiese come si chiamava quel posto. L'uomo glielo disse. Allora lei lo ringraziò e gli disse che sarebbe stata per lui una serata bellissima. L'uomo sorrise.

Così si mise a camminare lungo la Galleria Florencia e a un certo punto vide un piccolo chiosco, a una ventina di metri da lei, che sporgeva dalla parete di sinistra, increspando per un attimo il profilo pulito della galleria. Era uno di quei chioschi in cui vendono i biglietti della lotteria. Lei continuò per un po' a camminare, ma quando arrivò a qualche passo dal chiosco si fermò. Vide che l'uomo dei biglietti se ne stava seduto, a leggere un giornale. Lo teneva appoggiato su qualcosa, davanti a sé, e lo stava leggendo. Il chiosco aveva tutte le pareti di vetro, tranne quella che poggiava al muro. Dentro si vedevano l'uomo dei biglietti e un sacco di strisce colorate che pendevano dall'alto. C'era un piccolo finestrino, sul davanti, e quello era lo sportello da cui l'uomo dei biglietti parlava con la gente.

La donna si tirò indietro una ciocca di capelli che le era scesa sugli occhi. Si voltò e per un attimo rimase a osservare una ragazza che usciva da un negozio spingendo una carrozzina. Poi tornò a guardare il chiosco.

L'uomo dei biglietti leggeva.

La donna si avvicinò e si chinò verso lo sportello.

– Buonasera –, disse.

L'uomo sollevò gli occhi dal giornale. Stava per dire qualcosa, ma quando vide il volto della donna si fermò, e non andò più avanti. Rimase così, a guardarlo.

– Volevo comprare un biglietto.

L'uomo fece sì con la testa. Poi però disse una cosa che non c'entrava niente.

– È molto che aspettava?

– No, perché?

L'uomo scosse la testa, continuando a fissarla.

– Niente, scusi –, disse.

– Volevo un biglietto –, disse lei.

Allora l'uomo si voltò e fece vagare la mano tra le strisce di biglietti che pendevano alle sue spalle.

La donna ne indicò una, più lunga delle altre.

– Quella lì... può prenderlo da quella striscia lì?
– Questa?
– Sì.
L'uomo strappò il biglietto. Diede un'occhiata al numero e fece un cenno d'approvazione con la testa. Lo posò sulla mensola di legno tra lui e la donna.
– È un buon numero.
– Lei dice?
L'uomo non rispose perché stava osservando il volto della donna, e lo faceva come se vi stesse cercando qualcosa.
– Ha detto che è un buon numero?
L'uomo abbassò lo sguardo sul biglietto:
– Sì, ha due 8 messi in posizione simmetrica e ha le somme pari.
– Cosa vuol dire?
– Se lei tira una riga in mezzo al numero, la somma delle cifre di destra è uguale a quelle di sinistra. In genere porta bene.
– E lei come lo sa?
– È il mio mestiere.
La donna sorrise.

– Ha ragione.
Posò sulla mensola i soldi.
– Lei non è cieco –, disse.
– Prego?
– Lei non è cieco, vero?
L'uomo si mise a ridere.
– No, non lo sono.
– È curioso...
– Perché dovrei essere cieco?
– Be', quelli che vendono biglietti della lotteria lo sono sempre.
– Davvero?
– Magari non sempre, ma spesso... credo che alla gente piaccia che siano ciechi.
– In che senso?
– Non so, immagino che c'entri con quella storia che la fortuna è cieca.
La donna lo disse e poi si mise a ridere. Aveva una bella risata, senza stanchezze dentro.
– Di solito sono molto vecchi, e si guardano intorno come degli uccelli tropicali nella vetrina di un negozio di animali.
Lo disse con grande sicurezza.

Poi aggiunse:

– Lei è diverso.

L'uomo disse che in effetti non era cieco. Però vecchio lo era.

– Quanti anni ha? –, chiese la donna.

– Io ho settantadue anni –, disse l'uomo.

Poi aggiunse:

– A me va bene fare questo lavoro, non ho problemi, è un buon lavoro.

Lo disse a bassa voce. Tranquillo.

La donna sorrise.

– Certo. Non volevo dire questo...

– È un lavoro che mi piace.

– Ne sono sicura.

Prese il biglietto e lo infilò in una borsa nera, elegante. Poi si voltò un attimo indietro come se dovesse controllare qualcosa, o vedere se c'era gente che aspettava, dopo di lei. Alla fine, invece di salutare e andarsene, disse una cosa.

– Mi chiedevo se lei avrebbe voglia di venire a bere un bicchiere con me.

L'uomo aveva appena messo i soldi nella cassa. Rimase con la mano a mezz'aria.

– Io?

– Sì.

– Io... non posso.

La donna lo guardava.

– Devo tenere aperto il chiosco, non posso andarmene ora, non ho nessuno qui che... io non...

– Solo un bicchiere.

– Mi spiace... davvero non posso farlo.

La donna fece sì con la testa, come se avesse capito. Ma poi si chinò un po' verso l'uomo e disse:

– Venga con me.

L'uomo disse ancora:

– La prego.

Ma lei ripeté:

– Venga con me.

Era una cosa strana. L'uomo chiuse il giornale e scese dallo sgabello. Si tolse gli occhiali. Li infilò in una custodia di panno grigia. Poi, con grande cura, si mise a chiudere il chiosco. Allineava un gesto all'altro, molto lentamente, in silenzio, come se fosse in una sera qualunque. La donna aspettava in piedi, tranquilla, come se la cosa non la riguardasse. Ogni tanto qualcuno passava da lì e si girava a guardarla. Perché sembrava sola, ed era bella. Perché non era giovane, e sembrava sola. L'uomo spense la luce. Tirò giù la piccola serranda e la fissò a terra con un lucchetto. Si era messo un soprabito leggero, che gli cadeva un po' sulle spalle. Si avvicinò alla donna.

– Ho finito.

La donna gli sorrise.

– Lei sa dove potremmo andare?

– Di qua. C'è un caffè dove si può stare tranquilli.

Entrarono nel locale, trovarono un tavolino, in un angolo, e si sedettero uno di fronte all'altra. Ordinarono due bicchieri di vino. La donna chiese al cameriere se aveva delle sigarette. Così si misero a fumare. Poi parlarono di cose qualunque, e di quelli che vincevano alla lotteria. L'uomo disse che di solito non riuscivano a tenere il segreto, e la cosa buffa era che la prima persona cui lo dicevano era sempre un bambino. Probabilmente c'era una morale, in tutto quello, ma lui non era mai riuscito a capire quale. La donna disse qualcosa sulle storie che hanno una morale e quelle che non ce l'hanno. Andarono avanti un po' così, a parlare. Poi lui disse che sapeva chi era lei, e perché era venuta lì.

La donna non disse nulla. Stette ad aspettare.

Allora l'uomo andò avanti.

– Molti anni fa, lei ha visto tre uomini uccidere suo padre, a sangue freddo. Io sono l'unico, di quei tre, ancora vivo.

La donna lo guardava, attenta. Ma non si capiva cosa pensava.

– Lei è venuta fin qui per cercare me.

Parlava tranquillo. Non era nervoso, niente.

– Adesso mi ha trovato.

Poi stettero un po' in silenzio, perché lui non aveva più nulla da dire, e lei non diceva niente.

– Quando ero bambina il mio nome era Nina. Ma finì tutto quel giorno. Nessuno mi ha più chiamato con quel nome.

– ...
– Mi piaceva: Nina.
– ...
– Adesso ho tanti nomi. È diverso.

– All'inizio mi ricordo una specie di orfanotrofio. Nient'altro. Poi arrivò un uomo che si chiamava Ricardo Uribe e mi prese con sé. Era il farmacista di un paesino in mezzo alla campagna. Non aveva moglie o parenti, niente. Disse a tutti che ero sua figlia. Era arrivato lì da pochi mesi. La gente gli credette. Di giorno mi teneva nel retro della farmacia. Tra un cliente e l'altro mi faceva scuola. Non so perché ma non gli piaceva che me ne andassi in giro da sola. Quel che c'è da imparare lo puoi imparare da me, diceva. Io avevo undici anni. La sera si sedeva sul divano e mi faceva sdraiare accanto a lui. Io gli appoggiavo la testa in grembo e lo stavo ad ascoltare. Raccontava strane storie di guerra. Le sue dita mi accarezzavano i capelli, avanti e indietro, lentamente. Io sentivo il suo sesso, sotto la stoffa dei pantaloni. Poi mi dava un bacio sulla fronte e mi lasciava andare a dormire. Avevo una camera tutta per me. Lo aiutavo a tener pulite la farmacia e la casa. Lavavo la roba e cucinavo. Sembrava un brav'uomo. Aveva molta paura, ma non so di cosa.

...

Una sera si chinò su di me e mi baciò sulla bocca. Continuò a baciarmi, così, e intanto mi infilava le mani sotto la gonna e dappertutto. Io non facevo niente. E poi, improvvisamente, si staccò da me, e iniziò a piangere e a chiedermi di perdonarlo. Tutt'a un tratto sembrava terrorizzato. Io non capivo. Qualche giorno dopo mi disse che mi aveva trovato un fidanzato. Un ragazzo giovane di Rio Galvan, un paese vicino. Faceva il muratore. L'avrei sposato appena avessi avuto l'età. Andai a vederlo, la domenica dopo, in piazza. Era un bel ragazzo, alto e magro, molto magro. Si muoveva lento, forse era malato, o qualcosa del genere. Ci salutammo, e io tornai a casa.

...

È una storia come un'altra. Perché la vuole sentire?

L'uomo pensò che lei parlava in un modo strano. Come se fosse un gesto a cui non era abituata. O come se quella non fosse la sua lingua. Cercava le parole guardando nel vuoto.

– Qualche mese dopo, una sera di inverno, Uribe se ne uscì da casa per andare al Riviera. Era una specie di taverna dove si giocava d'azzardo. Uribe ci andava ogni settimana, sempre lo stesso giorno, il venerdì. Quella volta giocò fino a tardi. Poi si trovò con un poker di fanti in mano, di fronte a un piatto in cui c'erano più soldi di quanti lui ne vedesse in un anno. Fu tutta una faccenda tra lui e il conte di Torrelavid. Gli altri avevano messo giù un po' di soldi e poi avevano lasciato perdere. Il conte invece si era intestardito. Continuava a rilanciare. Uribe era sicuro delle sue carte e gli stava dietro. Arrivarono a quel punto in cui i giocatori perdono il senso della realtà. E successe che il conte mise sul piatto la sua *fazenda* di Belsito. Allora nella taverna si fermò tutto. Lei gioca d'azzardo?

– No –, disse l'uomo.

– Allora non credo che possa capire.

– Provi.

– Non capirà.

– Non importa.

– Si fermò tutto. E ci fu un silenzio che lei non capirà.

La donna spiegò che la *fazenda* di Belsito era la più bella *fazenda* della zona. Un viale d'aranci saliva fino al colmo della collina e lì, dalla casa, si poteva vedere l'Oceano.

– Uribe disse che non aveva niente da giocarsi che valesse Belsito. E appoggiò le carte sul tavolo. Allora il conte disse che poteva sempre giocarsi la farmacia, e poi si mise a ridere come un matto, e alcuni di quelli che erano lì intorno si misero a ridere con lui. Uribe sorrideva. Teneva ancora una mano sulle carte. Come per salutarle. Il conte ridiventò serio, si sporse in avanti, sul tavolo, guardò Uribe negli occhi e gli disse:

– Hai una bella bambina, però.

Uribe non capì subito. Sentiva gli sguardi di tutti su di lui, e non riusciva a ragionare. Il conte gli semplificò la situazione.

– Belsito contro la tua bambina, Uribe. È una proposta onesta.

E posò sul tavolo le sue cinque carte coperte, proprio sotto al naso di Uribe.

Uribe le fissò senza toccarle.

Disse qualcosa sottovoce, ma nessuno mi ha mai saputo dire cosa.

Poi spinse le sue carte verso il conte, facendole scivolare sul tavolo.

Il conte mi portò da lui quella notte stessa. Fece una cosa imprevedibile. Aspettò sedici mesi, e quando io compii quattordici anni mi sposò. Gli ho dato tre figli.

...

Sono difficili da capire, gli uomini. Il conte, prima di quella notte, mi aveva visto una sola volta. Lui era seduto al caffè e io stavo attraversando la piazza. Aveva chiesto a qualcuno:

– Chi è quella bambina?

E glielo avevano detto.

Fuori era ripreso a piovere, così il caffè si era riempito di persone. Bisognava parlare forte, per capirsi. O stare più vicini. L'uomo disse alla donna che aveva un modo strano di raccontare: sembrava raccontasse la vita di un'altra.

– Cosa vuole dire?

– Sembra che non gliene importi nulla.

La donna disse che, al contrario, le importava troppo di tutto. Disse che aveva nostalgia di ogni singola cosa che le era successa. Ma lo disse con una voce dura, senza malinconia. Allora l'uomo stette un po' zitto, guardando la gente intorno.

Pensò a Salinas. L'avevano trovato morto nel suo letto, due anni dopo quella storia di Roca, una mattina. Qualcosa al cuore, dissero. Poi venne fuori la voce che il suo medico l'aveva avvelenato, un po' ogni giorno, lentamente, per mesi. Una lenta agonia. Atroce. Indagarono sulla faccenda ma non ne tirarono fuori niente. Il medico si chiamava Astarte. Aveva fatto un po' di soldi, durante la guerra, con un preparato che curava le febbri e le infezioni. L'aveva inventato lui, con l'aiuto di un farmacista. Il preparato si chiamava Botran. Il farmacista si chiamava Ricardo Uribe. Ai tempi dell'invenzione lavorava nella capitale. Finita la guerra aveva avuto qualche guaio con la polizia. Prima trovarono il suo nome nella lista dei fornitori dell'ospedale della Iena, poi venne fuori qualcuno che diceva di averlo visto lavorare là dentro. Ma molti dissero anche che era un brav'uomo. Lui si presentò agli interrogatori, spiegò tutto e quando lo lasciarono libero prese le sue cose e se ne andò in una cittadina nascosta nella campagna, nel sud del paese. Comprò una farmacia, e riprese a fare il suo mestiere. Viveva da solo con una figlia piccola che si chiamava Dulce. Diceva che la madre era morta anni prima. Tutti gli credevano.

Così nascondeva Nina, la figlia sopravvissuta di Manuel Roca.

L'uomo si guardava intorno senza vedere niente. Era nei suoi pensieri.

La ferocia dei bambini, stava pensando.

Abbiamo rivoltato la terra in modo così violento che abbiamo ridestato la ferocia dei bambini.

Tornò a voltarsi verso la donna. Lei lo stava guardando. Sentì la sua voce che diceva:

– È vero che la chiamavano Tito?

L'uomo fece cenno di sì.

– L'aveva mai conosciuto, mio padre, prima?

– ...

– ...

– Sapevo chi era.

– È vero che gli ha sparato lei per primo?

L'uomo scosse la testa.

– Che importa...

– Lei aveva vent'anni. Era il più giovane. Combatteva solo da un anno. El Gurre la trattava come un figlio.

Poi la donna gli chiese se lui si ricordava.

L'uomo rimase a guardarla. E solo in quell'istante, finalmente, rivide davvero, nel suo volto, il volto di quella bambina, sdraiata là sotto, impeccabile e giusta, perfetta. Vide quegli occhi in questi, e quella forza inaudita nella calma di questa bellezza stanca. La bambina: si era girata e l'aveva guardato. La bambina: adesso era lì. Come può essere vertiginoso il tempo. Dove sono io?, si chiese l'uomo. Qui o allora? Sono mai stato in un attimo che non fosse questo?

L'uomo disse che si ricordava. Che non aveva fatto altro, per anni, che ricordarsi tutto.

– Per anni mi sono chiesto cosa dovevo fare. Ma alla fine la verità è che non sono mai riuscito a dirlo a nessuno. Non l'ho mai detto a nessuno che lei era là sotto, quella sera. Può anche non crederci, ma è così. All'inizio, ovviamente, non parlavo perché avevo paura. Ma poi passò del tempo, e divenne una cosa diversa. Della guerra nessuno si occupava più, la gente aveva voglia di guardare avanti, non gliene importava più niente di quello che era successo. Sembrava tutto sepolto per sempre. Io incominciai a pensare che era meglio dimenticare tutto. Lasciar perdere. A un certo punto però venne fuori la storia che la figlia di Roca era viva, da qualche parte, la nascondevano in un villaggio, nel sud del paese. Io non sapevo cosa pensare. Mi sembrava incredibile che fosse uscita viva da quell'inferno, ma coi bambini non si può mai dire. Alla fine qualcuno la vide, e giurò che era proprio lei. Così capii che non mi sarei più liberato di quella storia. Né io né gli altri. Naturalmente iniziai a chiedermi cosa mai poteva aver visto e sentito, quella sera, alla fattoria. E se poteva ricordarsi della mia faccia. Era anche difficile capire quello che poteva succedere nella testa di un bambino, davanti a una cosa del genere. I grandi, hanno memoria, hanno il senso della giustizia, spesso hanno il gusto della vendetta. Ma una bambina? Per un po' mi convinsi che non sarebbe successo niente. Ma poi morì Salinas. In quel modo strano.

La donna stava ad ascoltarlo, immobile.

Lui le chiese se voleva che continuasse.

– Continui –, lei disse.

– Venne fuori che c'entrava Uribe.

La donna lo guardava senza nessuna espressione. Teneva le labbra socchiuse.

– Poteva essere una coincidenza, ma certo che era strano. A poco a poco tutti si convinsero che quella bambina sapeva qualcosa. È difficile da capire, adesso, ma quelli erano tempi strani. Il paese se ne andava avanti, al di là della guerra, a velocità incredibile, dimenticando tutto. Ma c'era tutto un mondo che dalla guerra non era mai uscito, e che in quel paese felice non riusciva bene a ingranare. Io ero uno di quelli. Tutti noi eravamo di quelli. Per noi non era ancor finito nulla. E quella bambina era un pericolo. Ne parlammo a lungo. Il fatto è che la morte di Salinas non andava giù a nessuno. Così alla fine si decise che in qualche modo quella bambina andava eliminata. Lo so che sembra una pazzia, ma in realtà era tutto molto logico: terribile, e logico. Decisero di eliminarla e incaricarono il conte di Torrelavid di farlo.

L'uomo si fermò per un po'. Si guardava le mani. Sembrava che stesse riordinando i ricordi.

– Lui era uno che per tutta la guerra aveva fatto il doppio gioco. Lavorava per loro, ma era uno dei nostri. Andò da Uribe e gli chiese se preferiva passare la vita in galera per l'assassinio di Salinas o sparire nel nulla e lasciargli la bambina. Uribe era un vile. Aveva solo da stare tranquillo, e nessun tribunale sarebbe riuscito a incastrarlo. Ma ebbe paura e se ne andò. Lasciò la bambina al conte e se ne andò. Morì una decina d'anni dopo, in un paesino sperduto oltre il confine. Lasciò scritto che lui non aveva fatto niente e che Dio avrebbe inseguito fino all'inferno i suoi nemici.

La donna si voltò a guardare una ragazza che rideva forte, appoggiata al bancone del caffè. Poi raccolse lo scialle che aveva appoggiato allo schienale della sedia e se lo mise sulle spalle.

– Continui –, disse.

L'uomo continuò.

– Tutti si aspettavano che il conte la facesse sparire. Ma lui non lo fece. La tenne con sé, in casa. Gli fecero capire che doveva ucciderla. Ma lui non fece niente e continuò a nasconderla a casa sua. Alla fine disse: non dovete preoccuparvi della bambina. E la sposò. Non si parlò d'altro, per mesi, da quelle parti. Ma poi la gente smise di pensarci. La bambina crebbe, e diede al conte tre figli. Nessuno mai la vedeva, in giro. La chiamavano Donna Sol, perché era il nome che il conte le aveva dato. Di lei si diceva una cosa strana. Che non parlava. Che non aveva mai parlato. Dai tempi di Uribe, nessuno l'aveva mai sentita dire una parola. Forse era una malattia. Forse era semplicemente fatta così. Senza sapere perché, la gente aveva paura di lei.

La donna sorrise. Si tirò indietro i capelli con un gesto da ragazzina.

Dato che era diventato tardi, venne il cameriere e chiese se volevano mangiare lì. In un angolo del caffè erano arrivati tre tipi che avevano iniziato a fare musica. Suonavano dei ballabili. L'uomo disse che non aveva fame.

– La invito io –, disse la donna sorridendo.

All'uomo sembrava tutto assurdo. Ma la donna insistette. Disse che potevano mangiare un dolce.

– Le va bene un dolce?

L'uomo fece cenno di sì.

– Bene, allora un dolce. Prendiamo un dolce.

Il cameriere disse che era una buona idea. Poi aggiunse che potevano restare lì finché volevano. Non dovevano farsi problemi. Era un ragazzo giovane, parlava con uno strano accento. Lo videro che tornava verso il bancone, urlando l'ordinazione a qualcuno di invisibile.

– Ci viene spesso, qui? –, chiese la donna.

– No.

– È un bel posto.

L'uomo si guardò intorno. Disse che lo era.

– Tutte quelle storie gliele hanno raccontate i suoi amici?

– Sì.

– E lei ci crede?

– Sì.

La donna disse qualcosa a bassa voce. Poi chiese all'uomo di raccontarle il resto.

– A che serve?
– Lo faccia, la prego.
– Non è la mia storia, è la sua. Lei la conosce meglio di me.
– Non è detto.
L'uomo scosse la testa.
Tornò a guardarsi le mani.
– Un giorno io presi il treno e venni a Belsito. Erano passati tanti anni. Riuscivo a dormire la notte, e intorno a me c'era gente che non mi chiamava Tito. Pensai che ce l'avevo fatta, che la guerra era davvero finita e che rimaneva solo una cosa da fare. Presi il treno e venni a Belsito, per dire al conte quella storia della botola, e della bambina, e tutto. Lui sapeva chi ero. Fu molto gentile, mi portò nella biblioteca, mi offrì da bere e mi chiese di cosa avevo bisogno. Io dissi:
– Ha presente quella notte, alla fattoria di Mato Rujo?
E lui disse:
– No.
– La notte di Manuel Roca...
– Non so di cosa stia parlando.

Lo disse con molta tranquillità, addirittura con dolcezza. Era sicuro di sé. Non aveva dubbi.

Io capii. Parlammo ancora un po' di lavoro e perfino di politica, poi io mi alzai e me ne andai. Mi fece accompagnare alla stazione da un ragazzino. Me lo ricordo perché avrà avuto quattordici anni, e però guidava la macchina e glielo lasciavano fare.

– Carlos –, disse la donna.

– Non mi ricordo come si chiamasse.

– È il mio figlio più grande. Carlos.

L'uomo stava per dire qualcosa, ma arrivò il ragazzo a portare i dolci. Aveva anche portato un'altra bottiglia di vino. Disse che se volevano assaggiarlo era un buon vino da bere con i dolci. Poi disse qualcosa di spiritoso sulla sua padrona. La donna rise, e lo fece con un movimento della testa da cui, anni prima, sarebbe stato impossibile difendersi. Ma l'uomo quasi non la vide, perché stava inseguendo i suoi ricordi. Quando il ragazzo se ne andò, ricominciò a parlare.

– Prima di uscire da Belsito, quel giorno, mentre passavo nel lungo corridoio, con tutte quelle porte chiuse, pensai che da qualche parte, in quella casa, c'era lei. Mi sarebbe piaciuto vederla. Non avrei avuto niente da dirle, ma mi sarebbe piaciuto vedere di nuovo il suo volto, dopo tanti anni, e per l'ultima volta. Pensavo proprio a quello mentre camminavo lì, nel corridoio. E successe una cosa curiosa. A un certo punto una di quelle porte si aprì. Io per un attimo ebbi l'assoluta certezza che lei sarebbe uscita da lì, e mi sarebbe passata accanto, senza dire una parola.

L'uomo scosse leggermente il capo.

– Però non accadde nulla, perché alla vita manca sempre qualcosa per essere perfetta.

La donna, con il cucchiaino tra le dita, stava guardando il dolce, posato nel piatto, come se ne stesse cercando la serratura.

Ogni tanto qualcuno sfiorava il tavolo gettando uno sguardo su quei due. Erano una coppia strana. Non avevano i gesti di due che si conoscevano. Ma parlavano vicini. Lei sembrava si fosse vestita per piacergli. Nessuno dei due aveva anelli alle dita. Avresti potuto dire amanti, ma forse di tanti anni prima. O fratelli, chissà.

– Cos'altro sa di me? –, chiese la donna.

All'uomo venne in mente di farle la stessa domanda. Ma aveva iniziato a raccontare, e capì che gli piaceva farlo, forse aspettava da anni il momento di farlo, una volta per tutte, nella penombra di un caffè, con tre musicisti, in un angolo, a staccare il tre quarti di ballabili imparati a memoria.

– Una decina d'anni dopo il conte morì in un incidente d'auto. Lei rimase coi tre figli, Belsito e tutto il resto. Ma ai parenti la cosa non piaceva. Dicevano che lei era matta e che non la si poteva lasciare sola coi tre ragazzi. Alla fine portarono la cosa in tribunale, e il giudice concluse che avevano ragione. Così la portarono via da Belsito e la affidarono ai medici, in una casa di cura a Santander. È così?

– Vada avanti.

– Pare che i suoi figli abbiano testimoniato contro di lei.

La donna giocherellava con il cucchiaino. Lo faceva tintinnare contro il bordo del piatto. L'uomo proseguì.

– Un paio d'anni dopo lei scappò, e scomparve nel nulla. Qualcuno disse che erano stati dei suoi amici a farla fuggire, e che adesso la tenevano nascosta da qualche parte. Ma chi l'aveva conosciuta disse che lei, semplicemente, non aveva amici. Per un po' la cercarono. Poi lasciarono perdere. Non se ne parlò più. Molti si convinsero che fosse morta. Di matti che scompaiono nel nulla ce n'è tanti.

La donna sollevò lo sguardo dal piatto.

– Lei ha figli? –, chiese.

– No.

– Perché?

L'uomo rispose che bisogna avere fiducia nel mondo per fare dei figli.

– Io in quegli anni lavoravo ancora in fabbrica. Su, al nord. Mi raccontarono quella storia, di lei, della clinica e del fatto che era scappata. Mi dissero che a quel punto la cosa più probabile era che lei fosse sul fondo di qualche fiume, o giù da qualche scarpata, in un posto in cui prima o poi un vagabondo l'avrebbe trovata. Mi dissero che era tutto finito. Io non pensai niente. Mi colpiva quella faccenda che lei era ammattita, e mi ricordo che mi chiesi di che pazzia mai poteva essersi ammalata: se girava urlando per casa, o se semplicemente se ne stava zitta, in un angolo, a contare le assi del pavimento tenendo stretta in mano una cordicella, o la testa di un pettirosso. È buffa l'idea che ci si fa dei matti, se non li si conosce.

Poi fece una lunga pausa. Alla fine della pausa disse:

– Quattro anni dopo morì el Gurre.

Rimase di nuovo in silenzio per un po'. Sembrava che tutt'a un tratto gli fosse diventato tremendamente difficile raccontare.

– Lo trovarono con un proiettile nella schiena, a faccia in giù nel letame, davanti alla sua stalla.

Sollevò lo sguardo verso la donna.

– In tasca gli trovarono un biglietto. Nel biglietto c'era scritto un nome di donna. Il suo.

Fece un graffito lieve nell'aria.

– Donna Sol.

Lasciò ricadere la mano sul tavolo.

– Era proprio la sua grafia. L'aveva scritto lui, quel nome. Donna Sol.

I tre musicisti, là dietro, attaccarono una specie di valzer, rubando sul tempo e suonando sottovoce.

– Da quel giorno io ho iniziato ad aspettarla.

La donna aveva sollevato il capo e lo stava fissando.

– Ho capito che nulla avrebbe potuto fermarla, e che un giorno sarebbe arrivata anche da me. Non ho mai pensato che mi potesse uccidere sparandomi alle spalle o mandandomi uno qualunque che neanche mi conosceva. *Sapevo* che sarebbe venuta lei, e mi avrebbe guardato in faccia, e prima mi avrebbe parlato. Perché io ero quello che aveva aperto la botola, quella sera, e poi l'aveva richiusa. E lei non se lo sarebbe dimenticato.

L'uomo indugiò ancora un attimo, poi disse l'unica cosa che voleva ancora dire.

– Mi son portato dentro questo segreto tutta la

vita, come una malattia. Me lo *meritavo* di stare qui seduto, con lei.

Poi l'uomo tacque. Sentiva il cuore battergli veloce, fin nella punta delle dita, e alle tempie. Pensò che era seduto in un caffè, di fronte a una vecchia signora matta che da un momento all'altro poteva alzarsi e ucciderlo. Sapeva che lui non avrebbe fatto nulla per impedirglielo.

La guerra è finita, pensò.

La donna si guardava attorno e ogni tanto gettava un'occhiata nel piatto vuoto. Non parlava, e da quando l'uomo aveva smesso di raccontare, lei aveva smesso di guardarlo. Avresti detto che era seduta al tavolo, da sola, ad aspettare qualcuno.

L'uomo si era lasciato andare contro lo schienale. Adesso sembrava più piccolo e stanco. Osservava, come da lontano, gli occhi della donna vagare per il caffè e sul tavolo: si posavano ovunque, ma non su di lui. Si rese conto di avere ancora il soprabito addosso, e allora sprofondò le mani nelle tasche. Sentì il colletto tirargli dietro la nuca, come se in tasca avesse infilato due pietre. Pensò alla gente intorno, e trovò buffo come nessuno, in quel momento, potesse accorgersi di quello che stava accadendo. È difficile vedere due vecchi a un tavolo e intuire che in quel momento sarebbero capaci di tutto. E invece era così. Perché lei era un fantasma, e lui un uomo la cui vita si era conclusa tanto tempo prima. Se solo quella gente lo sapesse, pensò, adesso avrebbe paura.

Poi vide che gli occhi della donna erano diventati lucidi.

Chissà il filo dei suoi pensieri dove sta passando, si chiese.

Il viso era immobile, senza espressione. Solo gli occhi erano in quel punto.

Era piangere, quello?

Pensò ancora che non gli sarebbe piaciuto morire lì dentro, con tutta quella gente a guardare.

Poi la donna si mise a parlare, e questo fu quello che si dissero.

– Uribe sollevò le carte del conte e le fece scivolare lentamente tra le dita, scoprendole una ad una. Non credo che abbia pensato in quel momento a cosa stava perdendo. Di sicuro pensò a cosa non stava vincendo. Non contavo molto per lui. Si alzò e salutò la compagnia, educatamente. Nessuno rise, nessuno osava dire niente. Non l'avevano mai vista, lì dentro, una mano di poker come quella. Adesso lei mi dica: perché questa storia dovrebbe essere più falsa di quella che mi ha raccontato lei?

– ...

– ...

– ...

– Mio padre era un padre splendido. Non ci crede? E perché? Perché questa storia dovrebbe essere più falsa della sua?

– ...

– Per quanto uno si sforzi di vivere una sola vita, gli altri ce ne vedranno dentro altre mille, e questa è la ragione per cui non si riesce a evitare di farsi del male.

– ...

– Lo sa che di quella sera io so tutto, eppure non ricordo quasi niente? Ero là sotto, non vedevo, sentivo qualcosa, e quel che sentivo era talmente assurdo, sembrava un sogno. Se ne svanì tutto in quell'incendio. I bambini hanno un talento particolare per dimenticare. Ma poi mi hanno raccontato, e allora io so tutto. Mi hanno mentito? Non lo so. Non ho mai avuto la possibilità di chiedermelo. Siete entrati in casa, lei gli ha sparato, poi gli ha sparato Salinas, e alla fine el Gurre gli ha infilato la canna del mitragliatore in gola e gli ha fatto esplodere la testa con una raffica breve e secca. Come lo so? L'ha raccontato lui. Gli piaceva raccontarlo. Era un animale. Tutti eravate animali. Lo siete voi uomini, sempre, in guerra, come farà Dio a perdonarvi?

– La smetta.

– Si guardi, lei sembra un uomo normale, ha il suo soprabito liso e quando si toglie gli occhiali li mette ordinatamente nella loro custodia grigia. Si pulisce la bocca prima di bere, i vetri del suo chiosco sono lucidi, quando attraversa la strada guarda bene a destra e a sinistra, lei è un uomo normale. Eppure ha visto mio fratello morire senza ragione, solo un bambino con un fucile in mano, una raffica e via, e lei era lì, e non ha fatto nulla, aveva vent'anni, santo iddio, non era un vecchio rovinato, era un ragazzo di vent'anni eppure non ha fatto niente, mi vuol fare un favore?, mi spiega com'è possibile tutto questo?, ha un modo di spiegarmi che una cosa del genere può effettivamente succedere, non è l'incubo di un malato, è una cosa che è successa, me lo dice com'è possibile?

– Eravamo dei soldati.

– Cosa vuol dire?

– Stavamo combattendo una guerra.

– Quale guerra?, era *finita* la guerra.

– Non per noi.

– Non per voi?

– Lei non sa nulla.

– Allora me lo dica lei quello che non so.

– Credevamo in un mondo migliore.

– Cosa vuol dire?

– ...

– Cosa vuol dire?

– Non si poteva più tornare indietro, quando la gente inizia ad ammazzarsi non si torna più indietro. Noi non volevamo arrivare a quel punto, hanno iniziato gli altri, poi non c'è stato più niente da fare.

– Cosa vuol dire un mondo migliore?

– Un mondo giusto, dove i deboli non devono soffrire per la cattiveria degli altri, dove chiunque può avere diritto alla felicità.

– E lei ci credeva?

– Certo che ci credevo, noi tutti ci credevamo, si poteva fare e noi sapevamo come.

– Voi lo sapevate?

– Le sembra così strano?

– Sì.

– Eppure lo sapevamo. E abbiamo lottato per quello, per poter fare quello che era giusto.

Sparando ai bambini?

– Sì, se era necessario.

– Ma cosa dice?

– Lei non può capire.

– Io posso capire, lei mi spieghi e io capirò.

– È come la terra.

– ...

– ...

– ...

– Non si può seminare senza prima arare. Prima si deve spaccare la terra.

– ...

– Bisognava passare attraverso la sofferenza, capisce?

– No.

– C'erano un sacco di cose che dovevamo distruggere per poter costruire quello che volevamo, non c'era altro modo, dovevamo esser capaci di soffrire e impartire sofferenza, chi avrebbe tollerato più dolore avrebbe vinto, non si può sognare un mondo migliore e pensare che te lo consegneranno solo perché lo chiedi, quelli non avrebbero mai ceduto, bisognava combattere e una volta che l'avevi capito non faceva più differenza se erano vecchi o bambini, tuoi amici o tuoi nemici, stavi spaccando la terra, non c'era niente da fare, non c'era un modo di farlo che non facesse male. E quando tutto ci sembrava troppo orrendo, noi avevamo il nostro sogno che ci difendeva, sapevamo che per quanto grande fosse il prezzo, immensa sarebbe stata la ricompensa, perché noi non combattevamo per un po' di soldi, o per un campo da lavorare, o per una bandiera, noi lo facevamo per un mondo migliore, lo capisce cosa vuol dire?, stavamo restituendo a milioni di uomini una vita decente, e la possibilità di essere felici, di vivere e morire con dignità, senza esser calpestati o derisi, noi non eravamo niente, loro erano tutto, milioni di uomini, eravamo lì per loro, cosa vuole che sia un bambino che muore contro un muro, o dieci bambini, o cento, bisognava spaccare la terra e noi l'abbiamo fatto, milioni di altri bambini aspettavano che lo facessimo, e noi l'abbiamo fatto, forse lei dovrebbe...

– Ci crede davvero?

– Certo che ci credo.

Dopo tutti questi anni lei ci crede ancora?

– Perché non dovrei?

– La guerra l'avete vinta. Questo le sembra un mondo migliore?

– Non me lo sono mai chiesto.

– Non è vero. Se l'è chiesto mille volte, ma ha paura di rispondere. Così come si è chiesto mille volte cosa ci faceva quella sera a Mato Rujo, a combattere quando la guerra era già finita, a uccidere a sangue freddo un uomo che nemmeno aveva mai visto, senza concedergli il diritto di un tribunale, semplicemente uccidendolo, per la sola ragione che ormai aveva cominciato ad ammazzare e non era più capace di fermarsi. E in tutti questi anni mille volte lei si è chiesto perché ci è entrato, in quella guerra, e per tutto il tempo si è rigirato in testa il suo mondo migliore per non pensare al giorno in cui le portarono gli occhi di suo padre, e per non rivedere tutti gli altri morti ammazzati che allora, come adesso, riempiono la sua memoria come un ricordo intollerabile che è l'unica, vera ragione per cui lei ha combattuto, perché lei non aveva in mente altro che quello, vendicarsi, adesso dovrebbe essere capace di pronunciarla questa parola, vendetta, lei uccideva per vendetta, tutti uccidevate per vendetta, non c'è da vergognarsi, è il solo farmaco che ci sia contro il dolore, tutto quello che si è trovato per non impazzire, è la droga con cui ci rendono capaci di combattere, ma voi non ve ne siete più liberati, vi ha bruciato la vita intera, ve l'ha riempita di fantasmi, per sopravvivere a quattro anni di guerra vi siete bruciati la vita intera, adesso non sapete nemmeno più...

– Non è vero.

– Non vi ricordate nemmeno più *cos'è* la vita.

– Cosa vuole saperne lei?

– Già, cosa posso saperne io?, sono solo una vecchia donna matta, vero?, io non posso capire, io ero una bambina, allora, che ne so io?, glielo dico quello che so, io ero sdraiata in un buco, sottoterra, arrivarono tre uomini, presero mio padre, poi...

– La smetta.

– Non le piace questa storia?

– Io non mi pento di nulla, bisognava combattere e l'abbiamo fatto, non siamo stati a casa con le finestre chiuse ad aspettare che passasse, noi siamo usciti dai nostri buchi sottoterra e abbiamo fatto quello che dovevamo fare, questa è la verità, tutto il resto lo può dire adesso, può trovare tutte le ragioni che vuole, ma adesso è diverso, bisognava essere là per capire, lei non c'era, lei era una bambina, non è colpa sua, ma lei non può capire.

– Mi spieghi lei, io capirò.

– Sono stanco, adesso.

– Abbiamo tutto il tempo che vogliamo, lei mi spieghi, io la ascolterò.

– La prego, mi lasci in pace.

– Perché?

– Faccia quello che deve fare, ma mi lasci in pace.

– Di cosa ha paura?

– Non ho paura.

– E allora cos'è?

– Io sono stanco.

– Di cosa?

– ...

– ...

– Per favore...

– ...

– ...

– ...

– Per favore.

Allora la donna abbassò lo sguardo. Poi si tirò indietro e si staccò dal tavolo, appoggiandosi allo schienale della sedia. Diede un'occhiata intorno, come se scoprisse in quel momento, d'improvviso, dov'era. L'uomo se ne stava seduto: si torturava le dita stringendo una mano nell'altra, ma era l'unica cosa che si muoveva, in lui.

In fondo al caffè, quei tre suonavano canzoni d'altri tempi. Qualcuno ballava.

Per un po' rimasero così, in silenzio.

Poi la donna disse qualcosa su una festa di tanti anni prima, dove c'era un famoso cantante che l'aveva invitata a ballare. A bassa voce raccontò che lui era vecchio, ma si muoveva con grande leggerezza, e prima che finisse la musica le aveva spiegato come il destino di una donna sia scritto nel modo che ha di ballare. Poi le aveva detto che lei ballava come se farlo fosse un peccato.

La donna rise e tornò a guardarsi intorno.

Poi raccontò un'altra cosa. Era su quella sera, a Mato Rujo. Disse che quando aveva visto alzarsi il coperchio della botola non aveva avuto paura. Si era girata a guardare la faccia di quel ragazzo, e tutto le era sembrato molto naturale, perfino ovvio. Disse che in qualche modo *le piaceva* quello che stava accadendo. Poi lui aveva abbassato il coperchio, e allora sì lei aveva avuto paura, la più grande paura della sua vita. Il buio che tornava, il rumore delle ceste trascinate di nuovo sulla sua testa, i passi del ragazzo che si allontanavano. Si era sentita perduta. E quel terrore non l'aveva mai più abbandonata. Stette un po' in silenzio e poi aggiunse che la mente dei bambini è strana. Credo che in quel momento, disse, io desiderassi una sola cosa: che quel ragazzo mi portasse via con sé.

Poi continuò a dire altre cose, sui bambini e sulla paura, ma l'uomo non le sentì perché stava cercando di mettere insieme le parole per dire una cosa che gli sarebbe piaciuto far sapere alla donna. Avrebbe voluto dirle che mentre la guardava, quella sera, rannicchiata là nel buco, così ordinata e pulita – *pulita* –, lui aveva provato una specie di pace che poi non gli era più successo di ritrovare, o almeno poche volte, e davanti a un paesaggio o fissando lo sguardo di un animale. Gli sarebbe piaciuto spiegarle esattamente quella sensazione, ma sapeva che la parola *pace* non bastava a descrivere quello che gli era successo, e d'altra parte non gli veniva in mente altro, se non forse l'idea che era stato come trovarsi davanti a qualcosa che era infinitamente *compiuto.* Come tante altre volte, in passato, sentì quanto era difficile dare un nome a tutto ciò che gli era accaduto in guerra, quasi che ci fosse un sortilegio per cui coloro che avevano vissuto non potevano raccontare, e chi sapeva raccontare non aveva avuto in sorte di vivere. Alzò lo sguardo sulla donna e la vide parlare, ma non giunse ad ascoltarla perché i suoi pensieri lo portarono di nuovo via e lui era troppo stanco per resistergli. Così se ne rimase lì, appoggiato allo schienale, e non fece più nulla finché non iniziò a piangere, senza vergognarsi, senza neppure nascondersi il volto con le mani, neanche cercando di controllare il suo viso che si contorceva in una smorfia patetica, mentre le lacrime gli scendevano fino al colletto della camicia, scivolando sul collo che era bianco e mal rasato come il collo di tutti i vecchi del mondo.

La donna si interruppe. Non si era accorta subito che lui si era messo a piangere, e adesso non sapeva bene cosa fare. Si sporse un po' sul tavolo e mormorò qualcosa, sottovoce. Poi istintivamente si voltò verso gli altri tavoli e così vide che due ragazzi, seduti lì vicino, stavano guardando l'uomo, e uno dei due rideva. Allora gli gridò qualcosa, e quando il ragazzo si voltò verso di lei, lei lo guardò negli occhi e gli disse, forte:

– Fottiti.

Poi riempì di vino il bicchiere dell'uomo e glielo avvicinò. Non disse più nulla. Si appoggiò di nuovo allo schienale. L'uomo continuava a piangere. Lei ogni tanto lanciava delle occhiate cattive intorno, come una femmina di animale ferma davanti alla tana dei suoi piccoli.

– Chi sono quei due? –, chiese la signora che stava dietro al bancone.

Il cameriere capì che parlava dei due vecchi, là, al tavolo.

– Va tutto bene –, disse.

– Li conosci?

– No.

– Il vecchio stava piangendo, prima.

– Lo so.

– Non saranno ubriachi...
– No, va tutto bene.
– Ma dimmi tu se devono venir qui a...

Al cameriere sembrava che non ci fosse niente di male a piangere in un caffè. Ma non disse nulla. Era il ragazzo con l'accento strano. Posò sul bancone tre bicchieri vuoti e tornò in mezzo ai tavoli.

La signora si voltò verso i due vecchi e rimase un po' a guardarli.

– Doveva essere pure una bella donna, lei...

Lo disse ad alta voce, anche se non c'era nessuno ad ascoltarla.

Quando era giovane aveva sognato di diventare attrice del cinema. Tutti dicevano che era una ragazza spigliata e a lei piaceva cantare e ballare. Aveva una bella voce, abbastanza comune ma bella. Poi aveva incontrato un rappresentante di prodotti di bellezza che l'aveva portata nella capitale a fare delle foto per una crema da notte. Aveva mandato le foto a casa, piegate in una busta, con un po' di soldi. Per qualche mese aveva provato con il canto, ma la cosa non ingranava. Andava meglio con le foto. Lacche, rossetti, e una volta una specie di collirio contro l'arrossamento. Al cinema aveva rinunciato. Dicevano che bisognava andare a letto con tutti, e lei quello non lo voleva fare. Un giorno venne a sapere che cercavano annunciatrici per la televisione. Lei andò a fare il provino. Dato che era spigliata e aveva una bella voce comune, superò le prime tre prove e alla fine risultò seconda delle escluse. Le dissero che poteva aspettare, e magari il posto si sarebbe liberato. Lei aspettò. Dopo due mesi finì ad annunciare i programmi alla radio, sul primo canale nazionale.

Un giorno era tornata a casa.

Si era sposata bene.

Adesso aveva un caffè, in centro.

La donna – là, al tavolo – si sporse un po' in avanti. L'uomo aveva smesso da un po' di piangere. Aveva tirato fuori dalla tasca un grande fazzoletto e si era asciugato le lacrime. Aveva detto:

– Mi scusi.

Poi non avevano più parlato.

Sembrava davvero che non avessero più niente da capire, insieme.

Eppure a un certo punto la donna si sporse un po' verso l'uomo e disse:

– Devo chiederle una cosa un po' stupida.

L'uomo alzò lo sguardo su di lei.

La donna sembrava molto seria.

– Le andrebbe di fare l'amore con me?

L'uomo rimase a guardarla, immobile e in silenzio.

Così la donna ebbe paura per un attimo di non aver detto niente, e di aver solo pensato di dire quella frase senza esser riuscita poi davvero a farlo. Così la ripeté, lentamente.

– Le andrebbe di fare l'amore con me?

L'uomo sorrise.

– Io sono vecchio –, disse.

– Anch'io.

– ...

– ...

– Mi dispiace, ma siamo vecchi –, disse ancora l'uomo.

La donna si accorse di non averci pensato, e di non avere nulla da dire su quella faccenda. Allora le venne in mente un'altra cosa, e disse:

– Non sono matta.

– Non importa se lei è matta. Davvero. A me non importa. Non è quello.

La donna rimase un po' a pensare e poi disse:

– Non si deve preoccupare, possiamo andare in un albergo, lo può scegliere lei. Un albergo che nessuno conosce.

Allora all'uomo parve di capire qualcosa.

– Lei vorrebbe che andassimo in un albergo? –, chiese.

– Sì. Mi piacerebbe. Mi porti in un albergo.

Lui disse lentamente:

– Una stanza d'albergo.

Lo disse come se a pronunciarne il nome gli diventasse più semplice immaginarsela, quella stanza, e vederla, per capire se gli sarebbe piaciuto morire lì.

La donna disse che non doveva aver paura.

– Non ho paura –, lui disse.

Io non avrò mai più paura, pensò.

La donna sorrise perché lui stava zitto e questo a lei sembrò un modo di dire sì.

Cercò qualcosa nella borsa, poi tirò fuori un borsellino e lo spinse sul tavolo, verso l'uomo.

– Paghi con questo. Sa, non mi piacciono le donne che pagano al caffè, ma l'ho invitata io, e ci tengo. Lo prenda lei. Poi me lo restituisce quando siamo fuori.

L'uomo prese il borsellino.

Pensò a un vecchio che pagava con un borsellino di raso, nero.

Attraversarono la città su un taxi che sembrava nuovo e aveva ancora il cellophane sui sedili. La donna guardò per tutto il tempo fuori dal finestrino. Erano strade che non aveva mai visto.

Scesero davanti a un hotel che si chiamava California. L'insegna saliva verticale per tutti i quattro piani dello stabile. Era in grandi lettere rosse che si illuminavano una a una. Quando la scritta era completa lampeggiava per un po', poi si spegneva completamente e ricominciava dalla prima lettera. C. Ca. Cal. Cali. Calif. Califo. Califor. Californi. California. California. California. California. Buio.

Per un po' rimasero lì, uno di fianco all'altra, a guardare da fuori l'albergo. Poi la donna disse Andiamo e si diresse verso la porta di ingresso. L'uomo la seguì.

Il tipo della reception guardò i documenti e chiese se volevano una stanza matrimoniale. Ma senza nessuna inflessione nella voce.

– Quello che c'è –, rispose la donna.

Presero una stanza che dava sulla strada, al terzo piano. Il tipo della reception si scusò perché non c'era l'ascensore e si offrì di portare su le valigie.

– Niente valigie. Le abbiamo perse –, disse la donna.

Il tipo sorrise. Era un brav'uomo. Li vide sparire su per le scale e non pensò male di loro.

Entrarono nella stanza e nessuno dei due fece il gesto di accendere la luce. L'insegna, da fuori, versava lenti bagliori rossi sulle pareti e sulle cose. La donna posò la borsa su una sedia e si avvicinò alla finestra. Scostò le tende trasparenti e per un po' guardò giù, in strada. Passavano rare automobili, senza fretta. Sul muro della casa di fronte le finestre illuminate contavano le serate domestiche di quel piccolo mondo, liete o tragiche – consuete. Lei si voltò, si tolse lo scialle e lo appoggiò su un tavolino. L'uomo aspettava, in piedi, in mezzo alla stanza. Stava chiedendosi se doveva sedersi sul letto, o magari dire qualcosa su quel posto, ad esempio che non era poi tanto male. La donna lo vide, lì, con il suo soprabito addosso, e le sembrò solo e senza tempo, come un eroe da film. Gli si avvicinò, gli aprì il soprabito e facendolo scivolare sulle spalle lo lasciò cadere per terra. Erano così vicini. Si guardarono negli occhi, ed era la seconda volta, nella loro vita. Poi lui molto lentamente si chinò su di lei perché aveva deciso di baciarla sulle labbra. Lei non si mosse e a bassa voce disse: Non sia ridicolo. L'uomo si bloccò, e rimase così, leggermente chinato in avanti, con nel cuore l'esatta sensazione che tutto stava finendo. Ma la donna alzò le braccia lentamente, e facendo un passo avanti lo abbracciò, prima con dolcezza, poi stringendosi a lui con una forza senza rimedio, la testa appoggiata sulla sua spalla, e tutto il corpo teso a cercare il suo. L'uomo aveva gli occhi aperti. Vedeva di fronte a sé la finestra lampeggiare.

Sentiva il corpo della donna che lo stringeva, e le mani di lei, leggere, tra i capelli. Chiuse gli occhi. Prese la donna tra le braccia. E con tutta la sua forza di vecchio la strinse a sé.

Quando lei iniziò a spogliarsi, sorridendo disse:

– Non si aspetti un granché.

Quando lui si sdraiò su di lei, sorridendo disse:

– Lei è bellissima.

Da una stanza vicina veniva il suono di una radio, appena percettibile. Sdraiato sulla schiena, nel grande letto, completamente nudo, l'uomo fissava il soffitto chiedendosi se era la stanchezza che gli faceva girare la testa, o il vino bevuto. Al suo fianco, la donna stava immobile, con gli occhi chiusi, voltata verso di lui, la testa appoggiata sul cuscino. Si tenevano per mano. L'uomo avrebbe voluto sentirla ancora parlare, ma capiva che non c'era più nulla da dire, e che qualsiasi parola sarebbe stata ridicola, in quel momento. Per cui taceva, lasciando che il sonno gli confondesse le idee, e gli portasse il ricordo sfumato di ciò che era successo quella sera. La notte, fuori, era illeggibile, e il tempo in cui si stava perdendo era senza misura. Pensò che doveva essere grato alla donna, perché l'aveva condotto fin lì per mano, passo dopo passo, come una madre un bambino. L'aveva fatto con sapienza, e senza fretta. Adesso, quello che restava da fare non sarebbe stato difficile.

Strinse la mano della donna, nella sua, e lei gli restituì la stretta. Avrebbe voluto voltarsi a guardarla ma poi quel che fece fu lasciare la sua mano e girarsi su un fianco, dandole la schiena. Gli sembrò che fosse quello che lei si stava aspettando da lui. Qualcosa come un gesto che la lasciasse libera di pensare, e in un certo modo le regalasse una qualche solitudine dove decidere l'ultima mossa. Sentì che il sonno stava per portarlo via. Gli venne ancora in mente che gli dispiaceva di essere nudo perché lo avrebbero trovato così, e tutti lo avrebbero guardato. Ma non osò dirlo alla donna. Così girò appena la testa verso di lei, non abbastanza da poterla vedere, e disse:

– Vorrei che lei sapesse che il mio nome è Pedro Cantos.

La donna lo ripeté lentamente.

– Pedro Cantos.

L'uomo disse:

– Sì.

Poi riappoggiò la testa sul cuscino e chiuse gli occhi.

Nina continuò per un po' a ripetersi in mente quel nome. Scivolava via senza spigoli, come una biglia di vetro. Su un vassoio inclinato.

Si voltò a guardare la sua borsa, posata su una sedia, vicino alla porta. Pensò di andarla a prendere, ma non lo fece e rimase sdraiata, nel letto. Pensò al chiosco dei biglietti, al cameriere del caffè, al taxi con i sedili coperti di cellophane. Rivide Pedro Cantos che piangeva, le mani sprofondate nelle tasche del soprabito. Lo rivide mentre la accarezzava senza il coraggio di respirare. Non dimenticherò questo giorno, si disse.

Poi si girò, si avvicinò a Pedro Cantos, e fece quello per cui aveva vissuto. Si rannicchiò alle sue spalle: tirò su le ginocchia verso il petto: allineò i piedi fino a sentire le gambe perfettamente appaiate, le due cosce morbidamente unite, le ginocchia come due tazze in bilico una sull'altra, le caviglie separate da un nulla: si strinse un po' tra le spalle e fece scivolare le mani, unite, in mezzo alle gambe. Si guardò. Vide una vecchia bambina. Sorrise. Guscio e animale.

Allora pensò che per quanto la vita sia incomprensibile, probabilmente noi la attraversiamo con l'unico desiderio di ritornare all'inferno che ci ha generati, e di abitarvi al fianco di chi, una volta, da quell'inferno, ci ha salvato. Provò a chiedersi da dove venisse quell'assurda fedeltà all'orrore, ma scoprì di non avere risposte. Capiva solo che nulla è più forte di quell'istinto a tornare dove ci hanno spezzato, e a replicare quell'istante per anni. Solo pensando che chi ci ha salvati una volta lo possa poi fare per sempre. In un lungo inferno identico a quello da cui veniamo. Ma d'improvviso clemente. E senza sangue.

L'insegna sgranava da fuori il suo rosario di luci rosse. Sembravano i bagliori di una casa in fiamme.

Nina appoggiò la fronte alla schiena di Pedro Cantos. Chiuse gli occhi e si addormentò.

Ringraziamenti

Ho iniziato a scrivere questo libro mentre ero ospite dell'Isabella Stewart Gardner Museum di Boston. È un posto strano. Una specie di casa patrizia veneziana. Però non c'è Venezia. Era tutto nella fantasia della fondatrice, una collezionista americana che chiuse tra quelle pareti un colossale patrimonio di opere d'arte lasciandolo ai posteri a un'unica condizione: che non spostassero niente. Così è tutto come lei aveva voluto. È come andare in visita da una zia d'America miliardaria. Vale la gita, come si suol dire.

Mi piace ricordare qui Pieranna Cavalchini e con lei tutta la gente del museo che, in quei giorni, mi è stata vicina, con bostoniana discrezione. Devo loro il silenzio senza cui nessuna storia può iniziare.

AB

Indice

BUR
Periodico settimanale: 9 marzo 2005
Direttore responsabile: Rosaria Carpinelli
Registr. Trib. di Milano n. 68 del 1°-3-74
Spedizione in abbonamento postale TR edit.
Aut. N. 51804 del 30-7-46 della Direzione PP.TT. di Milano
Finito di stampare nel febbraio 2005 presso
il Nuovo Istituto Italiano d'Arti Grafiche - Bergamo
Printed in Italy

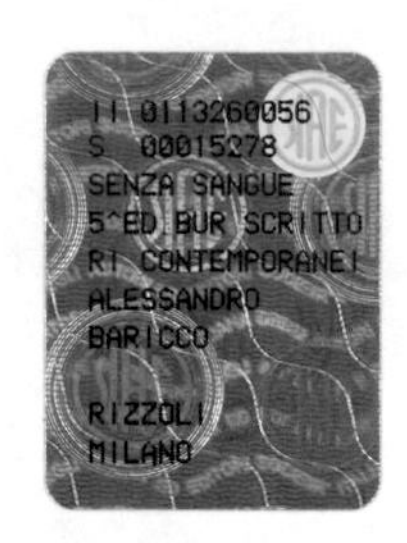

ISBN 88-17-00178-3